this is a black box

---

draw the box

colour the box black

write

this is a black box

buzz buzz buzz

goes the black box

buzz buzz buzz

---

write

the black box goes buzz

stop the buzz

stop stop the buzz

---

write

stop the buzz

an egg is under the box

---

draw and colour the egg

write

an egg is under the box

buzz buzz goes the egg

---

write

the egg goes buzz buzz

crack goes the egg

crack crack crack

---

write

the egg goes crack crack

draw this

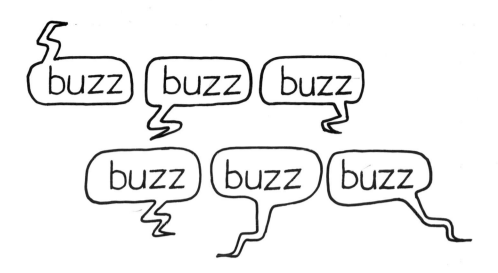

up jumps a fuzzbuzz

---

write

a fuzzbuzz jumps up

this is the fuzzbuzz

buzz buzz goes the fuzzbuzz

buzz buzz buzz

---

draw and colour the fuzzbuzz

write

this is a fuzzbuzz

the fuzzbuzz jumps

the fuzzbuzz jumps up

up and up and up ·
jumps the fuzzbuzz

---

write

the fuzzbuzz jumps up

draw this

and the fuzzbuzz
goes under the egg